D1232660

CHAPLEAU **2015**

Catalogage avant publication de Bibliothèque et Archives
nationales du Québec et Bibliothèque et Archives Canada

Chapleau, Serge
L'année Chapleau
ISSN 1202-8495
ISBN 978-2-89705-394-9

1. Caricatures et dessins humoristiques - Canada.
2. Canada - Politique et gouvernement - 2006- - Caricatures
et dessins humoristiques. 3. Québec (Province) - Politique
et gouvernement - 2014- - Caricatures et dessins humoristiques.
I. Titre.

NC1449.C45A4 741.5'971 C95-300755-3

Présidente : Caroline Jamet
Directeur de l'édition : Jean-François Bouchard
Directrice de la commercialisation : Sandrine Donkers
Responsable, gestion de la production : Carla Menza
Communications : Marie-Pierre Hamel

Éditrice déléguée : Sylvie Latour
Conception graphique et montage : Célia Provencher-Galarneau
Rédaction des textes : Nicolas Forget
Correction d'épreuves : Sophie Sainte-Marie

L'éditeur bénéficie du soutien de la Société de développment
des entreprises culturelles du Québec (SODEC) pour son
programme d'édition et pour ses activités de promotion.

L'éditeur remercie le gouvernement du Québec de l'aide financière
accordée à l'édition de cet ouvrage par l'entremise du Programme
de crédit d'impôt pour l'édition de livres, administré par la SODEC.

Nous remercions le Conseil des arts du Canada de l'aide accordée
à notre programme de publication.

Financé par le gouvernement du Canada
Funded by the Government of Canada

Dépôt légal – 4e trimestre 2015
ISBN 978-2-89705-394-9
Imprimé et relié au Canada

LES ÉDITIONS **LA PRESSE**
Les Éditions La Presse
7, rue Saint-Jacques
Montréal (Québec)
H2Y 1K9

CHAPLEAU **2015**

LES ÉDITIONS **LA PRESSE**

JE RÉFLÉCHIS ENCORE À LA POSSIBILITÉ DE ME PRÉSENTER!

PQ
COMBAT EXTRÊME
PKP/LISÉE
PKP
LISÉE
15 MAI 2015
BILLETS EN VENTE DANS 8 MOIS...

BOYCOTTONS
LES ÉLECTIONS
SCOLAIRES

POLICE LINE DO NOT CROSS

MAKE MY DAY!
STEVEN BLANEY VEUT DONNER «TOUS LES OUTILS NÉCESSAIRES» AUX AGENCES D'APPLICATION DE LA LOI
AVEZ-VOUS DES QUESTIONS?

PKP
C'EST TRÈS IMFORTANT QU'ON NE FE MAGANE FAS TROP DANS FETTE COURSE !

JIAN GHOMESHI POURSUIT RADIO-CANADA

LE NOUVEAU LOOK DE BERNARD DRAINVILLE

EBOLA : LE MINISTRE BARRETTE SE FAIT RASSURANT

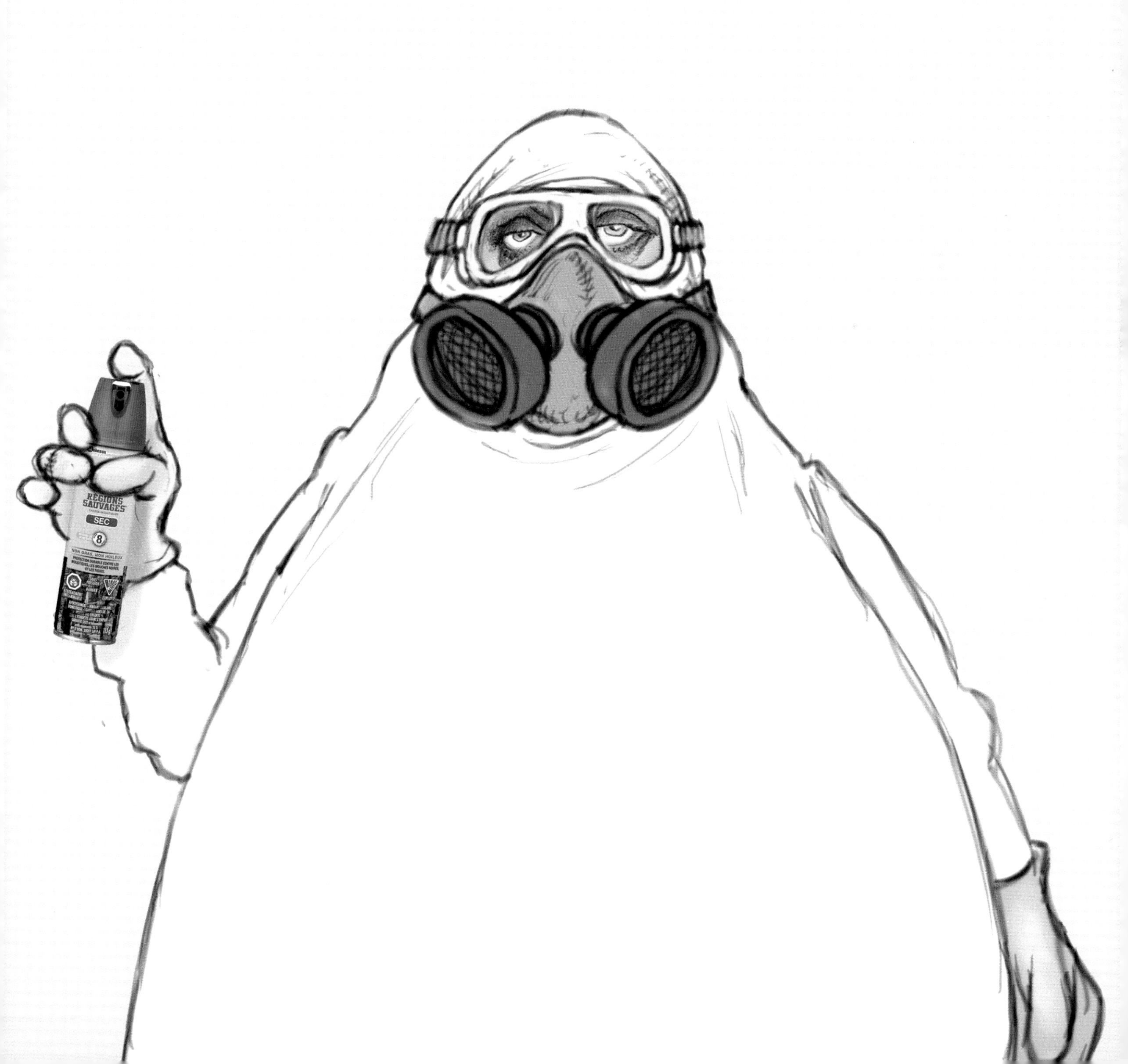

RADIO-CANADA SACRIFIE SON ENTREPÔT DE COSTUMES

PHOTO SOUVENIR DU SPECTACLE EN APPUI À RADIO-CANADA

PENDANT CE TEMPS À L'UNIVERSITÉ DU QUÉBEC…

Dénonciations anonymes d'agressions sexuelles contre trois professeurs.

PIERRE KARL PÉLADEAU ANNONCE SON MARIAGE AVEC JULIE SNYDER

Véro
MAGAZINE

JULIE

Tout pour être bien avec soi-même

VIDÉO EXCLUSIVE!
Véro en entrevue
+
coulisses de la couverture
layar

VA-T-ON REPEINDRE LE PONT DE QUÉBEC ?

PENDANT LE «GRAND DÉRANGEMENT», PIERRE MOREAU ANNONCE UNE «ENTENTE» AVEC LE PQ QUI PERMETTRA L'ADOPTION DE LA LOI 3

RÉGIS ATTENDANT LA RÉPONSE DE BILL GATES

BERGERON SE JOINT À L'ÉQUIPE CODERRE
POUR SON PROJET DE SLR

COUPES PROPOSÉES PAR LE RAPPORT ROBILLARD

COUPES PROPOSÉES PAR LE GOUVERNEMENT
ABATTAGE COITEUX
BRAVO!
COMME ÇA, C'EST BEAUCOUP PLUS, CHIRURGICAL!

PIERRE KARL PÉLADEAU ET LES JOURNALISTES

AH NON!!! PAS AU TÉLÉPHONE EN PLUS...
DRING!

FRANÇOIS HOLLANDE EN VISITE AU CANADA

WAIT FOR YOUR TURN!

SHHLAK!

CARLOS LEITAO FRAPPE LE SECTEUR FINANCIER

PARTY DES FÊTES AU PARTI LIBÉRAL, QUI FERA LE PÈRE NOËL ?

«LA HAUSSE DU PRIX DE L'ESSENCE REPRÉSENTE MOINS D'UNE TASSE DE CAFÉ PAR SEMAINE !» - DAVID HEURTEL

PIERRE KARL PÉLADEAU POURSUIT SA TOURNÉE EN RÉGION

Pierre Karl Péladeau participe à un débat par vidéoconférence.

CRISE D'ADOLESCENCE
EN 2000

CRISE D'ADOLESCENCE
EN 2014

TIRÉ DU PETIT PRINCE DE SAINT-EXUPÉRY

APRÈS UNE ABSENCE DUE À UNE CHIRURGIE,
LE CARICATURISTE REVIENT ET COUVRE DEUX SUJETS EN MÊME TEMPS

Les caricatures de Mahomet et l'utilisation du *blackface*
au Théâtre du Rideau Vert font la manchette.

DISCOURS SUR L'ÉTAT DE L'UNION

Barack Obama veut hausser les impôts des plus riches.

M. OBAMA, LA MARCHE C'ÉTAIT DIMANCHE... D-I-M-A-N-C-H-E!!!
JE SUIS CHARLIE

FERRANDEZ VEUT SE SORTIR
DE CETTE IMAGE ANTI-VOITURE
D'AILLEURS, NOUS AVONS GARDÉ DES ESPACES DE STATIONNEMENT POUR LES RÉSIDANTS!

ALEXIS TSIPRAS DEVIENT PREMIER MINISTRE DE LA GRÈCE
FINIE L'AUSTÉRITÉ !

COMMISSION CHARBONNEAU :
POURQUOI SEPT MOIS DE PLUS ?

COUILLARD «TRÈS IMPRÉGNÉ» DES VALEURS SAOUDIENNES, SELON STÉPHANE BÉDARD

JE SUIS PRÊT À TOUT POUR LE RETOUR DU BASEBALL À MONTRÉAL!
Expos

NON MAIS QU'EST-CE QU'ILS ONT DANS L'OPPOSITION À ÊTRE OBSÉDÉS PAR PIERRE KARL PÉLADEAU?
J'♥
PKP

PIERRE CÉRÉ COMPARE PKP À CITIZEN KANE

Des chercheurs s'intéressent aux vertus thérapeutiques du LSD.

LES DANGERS DU *POT*

DELPHI, LA VOITURE SANS CONDUCTEUR, A ENTAMÉ SA TRAVERSÉE DE L'AMÉRIQUE

DOMMAGE! JE LUI AVAIS DÉJÀ TROUVÉ UNE AUTRE VOCATION!
Tim Hortons

COUILLARD PREND UNE PHOTO SOUVENIR DE SON MINISTRE DE L'ÉDUCATION

NOUVELLE STRATÉGIE DE COMMUNICATION…

DR GAÉTAN
BARRETTE

POUTINE PROFITE DE LA TRÈVE POUR PRENDRE UNE COLLATION

QUI REMPLACERA JOHN BAIRD AUX AFFAIRES ÉTRANGÈRES ?

Projet de gratte-ciel géant à Québec.

PKP ENGAGE STEVE FLANAGAN
COMME SON NOUVEAU DIRECTEUR
DES COMMUNICATIONS

LISÉE POURRA SE PRÉSENTER, IL A RÉUSSI À RECUEILLIR 2000 SIGNATURES…

MONTRÉAL SONGE À BANNIR LES SACS DE PLASTIQUE

DENIS CODERRE RENCONTRE LE PAPE PENDANT 30 SECONDES

PRIVÉ DE LOCAL, L'IMAM CHERCHE
UNE AUTRE FAÇON DE PRÊCHER

Steven
Blaney
dans

Nosferatu
UNE PRODUCTION DU PARTI CONSERVATEUR

GESCA VEND SES JOURNAUX RÉGIONAUX

La ministre Thériault évoque un stratagème pour expliquer l'évasion du fils de « Mom » Boucher.

GUIDE DE SURVIE À L'HIVER QUÉBÉCOIS
RÈGLE #1 :

GILLES DUCEPPE REDEVIENDRA CHEF DU BLOC QUÉBÉCOIS

DUCEPPE REVIENT À LA POLITIQUE

POUTINE PLEURANT LA MORT DE NEMTSOV

Boris Nemstov, un célèbre opposant de Vladimir Poutine, est assassiné.

EN ROUTE VERS LE BUREAU OVALE…

DÉFAITE DE JEAN TREMBLAY EN COUR SUPRÊME

ELIZABETH MAY PRÉSENTE SES EXCUSES

Blagues controversées lors du gala annuel de la Tribune de la presse parlementaire.

SYNERGOLOGIE APPLIQUÉE

DÉBUT DE L'ENQUÊTE PRÉLIMINAIRE DE
GILLES VAILLANCOURT ET DES 35 COACCUSÉS

GILLES'ANGELS
LAVAL

STEPHEN HARPER NOUS PRÉSENTE SON PLAN
DE LUTTE AUX CHANGEMENTS CLIMATIQUES

BARRETTE RECULE...

Le ministre de la Santé renonce à hausser les tarifs des CHSLD.

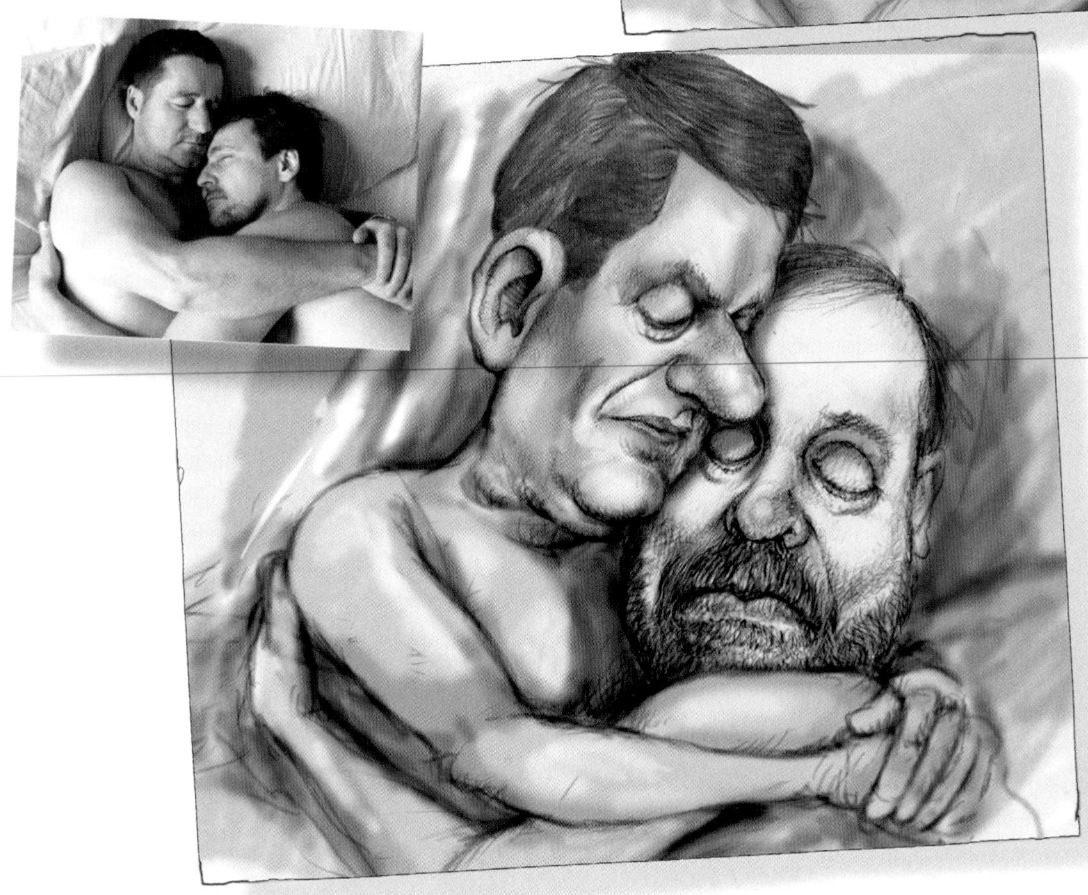

NE MANQUEZ PAS LES EXPLICATIONS DU

CAPITAINE BUGINGO

la
fifa

BONO REND VISITE À
HARPER, MULCAIR, TRUDEAU...

LA PREMIÈRE QUESTION DU NOUVEAU CHEF DE L'OPPOSITION

QUI ACHÈTERA LA BIBLIOTHÈQUE SAINT-SULPICE ? SUGGESTION POUR SAUVEGARDER LE PATRIMOINE CULTUREL

PUNAISES DE LIT À MONTRÉAL :
« ON A PERDU LE CONTRÔLE ! »

QU'EST-CE QUI REND GAÉTAN BARRETTE SI SOURIANT ?
L'ENTENTE AVEC LES OMNIPRATICIENS OU…

Joël Legendre révèle « sa part d'ombre » et demande pardon au public.

«ON POUVAIT VOIR DU SANG SORTIR DE SES YEUX, DU SANG SORTIR DE SON… OÙ QUE CE SOIT.»

- DONALD TRUMP

MARGE ET HOMER VONT SE SÉPARER

LE CANADA EST EN RÉCESSION

STEPHEN HARPER ET LE CULTE DE LA PERSONNALITÉ

OLÉODUC ÉNERGIE EST : LES TROIS D'ACCORD

COUILLARD LANCE SA STRATÉGIE MARITIME

Le gouvernement s'inspire des idées de François Legault.

Gilles Vaillancourt fait du bénévolat dans une soupe populaire.

LES FEMEN AU GRAND PRIX DE MONTRÉAL

SEPP BLATTER, PRÉSIDENT DE LA FIFA : «LE TRAVAIL DE RÉFORME EST DÉJÀ COMMENCÉ !»

ENTENTE HISTORIQUE AVEC L'IRAN

L'accord sur le nucléaire iranien rapproche les États-Unis de son vieil ennemi.

COMMISSION DE VÉRITÉ ET RÉCONCILIATION

La compagnie de Julie Snyder n'aura plus droit au crédit d'impôt.

HARPER ET SON
FIDÈLE COMPAGNON
POILIEVRE
PRÊTS POUR LA
CAMPAGNE ÉLECTORALE!

mos politiciens en vacances
...ET J'ÉCONOMISE SUR LE PROPANE!

bonnes vacances de la construction
BIEN CUIT
MÉDIUM

TOUT SUR LA MORT D'ARTHUR PORTER

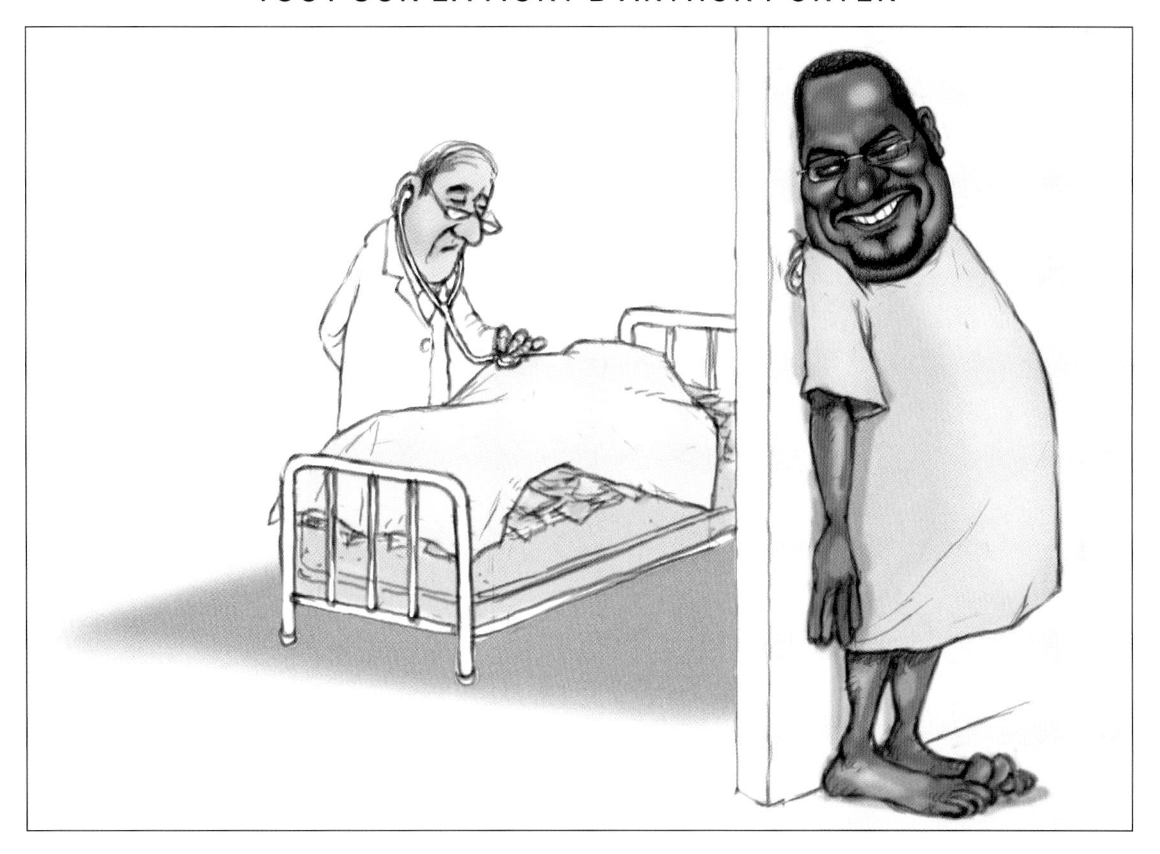

DOSSIER MÉDICAL INFORMATISÉ

CODERRE EST FÂCHÉ, FÂCHÉ, FÂCHÉ…

JACQUES TURGEON QUITTE FINALEMENT LA DIRECTION DU CHUM

Procès Duffy : l'ex-chef de cabinet du premier ministre affirme que la Bible a guidé ses actions.

COMMENT ASSISTER À UNE ASSEMBLÉE PARTISANE

M. HARPER!!!
LA BOURSE DE SHANGHAI EST EN CHUTE LIBRE!
M. HARPER!..
EST-CE DE VOTRE FAUTE?
LE DOLLAR EST EN BAISSE...
QU'A FAIT VOTRE PARTI...
M. HARPER!!!
M. HARPER!!!
QU'ALLEZ-VOUS FAIRE?
HEU!?...QUELQU'UN A UNE QUESTION SUR MIKE DUFFY? ...QUELQU'UN?..

BOU...HOU...!!!
PERSONNE NE M'AIME...
JE ME SENS REJETÉE...
J'AI POURTANT TELLEMENT À DONNER...
ZZZ!

P.K. SUBBAN DONNE 10 MILLIONS
À L'HÔPITAL DE MONTRÉAL POUR ENFANTS

LNH : DION ET MULRONEY SATISFAITS DE LEUR PRÉSENTATION

MULCAIR CONTINUE SA CAMPAGNE DE SÉDUCTION

ÉLECTIONS FÉDÉRALES : INTENTIONS DE VOTE AU QUÉBEC

13%

16%
20%

Opposition féroce à l'investiture
de la candidate libérale.

IL RESTE 47 JOURS À LA CAMPAGNE

DUR RÉVEIL APRÈS LE LONG CONGÉ : IL RESTE 41 JOURS À LA CAMPAGNE ÉLECTORALE

LES AVENTURES DE
JEAN-FRANÇOIS LÉPING

LE LYS BLEU

Jean-François Lépine est nommé délégué du Québec en Chine.

LA CHINE TENTE DE RASSURER LES MARCHÉS

NOUVEL ÉQUIPEMENT POUR EXERCER LE MÉTIER DE JOURNALISTE AUX ÉTATS-UNIS

Une équipe de tournage
est abattue en direct.

LEITAO S'INSPIRE DU RAPPORT GODBOUT

LU CHAN KHUONG LANCE LA SERVIETTE

Souvenir de vacances de Bachar al-Assad

GILLES DUCEPPE RELANCE SA CAMPAGNE

PASSAGE HOULEUX D'ADIL CHARKAOUI À L'ASSEMBLÉE NATIONALE

LE MAGICIEN D'OZ EN RENFORT CHEZ LES CONSERVATEURS

Élections : Stephen Harper fait appel à un célèbre stratège australien surnommé le « magicien d'Oz ».

NIQAB ET CITOYENNETÉ : QU'EN PENSE M. MULCAIR… M. MULCAIR ?

HARPER REDESSINE SES AFFICHES ÉLECTORALES

QUI SE CACHE SOUS CE NIQAB ?

1) LE PETIT JÉRÉMY
2) MIKE WARD
3) UN PROPRIÉTAIRE DE VOLKSWAGEN DIESEL

LENDEMAINS DE DÉBAT : JUSTIN TRUDEAU

LE CONSEIL DU STATUT DE LA FEMME DEMANDE L'IMPOSITION DE QUOTAS POUR LES CANDIDATURES FÉMININES

Scoop!

LA VICTIME DE HARCÈLEMENT SE DÉVOILE

TENNIS FÉMININ :
EUGÉNIE BOUCHARD DÉGRINGOLE AU CLASSEMENT

ENFIN UNE SOLUTION POUR LES EAUX USÉES DE MONTRÉAL

Le gouvernement fédéral suspend le déversement d'eaux usées à Montréal.

LE VOTE À VISAGE COUVERT CONTINUE…

CET HOMME...

A) A PERDU LA MOITIÉ DE SES DÉPUTÉS
B) A ÉTÉ RÉÉLU DANS OUTREMONT

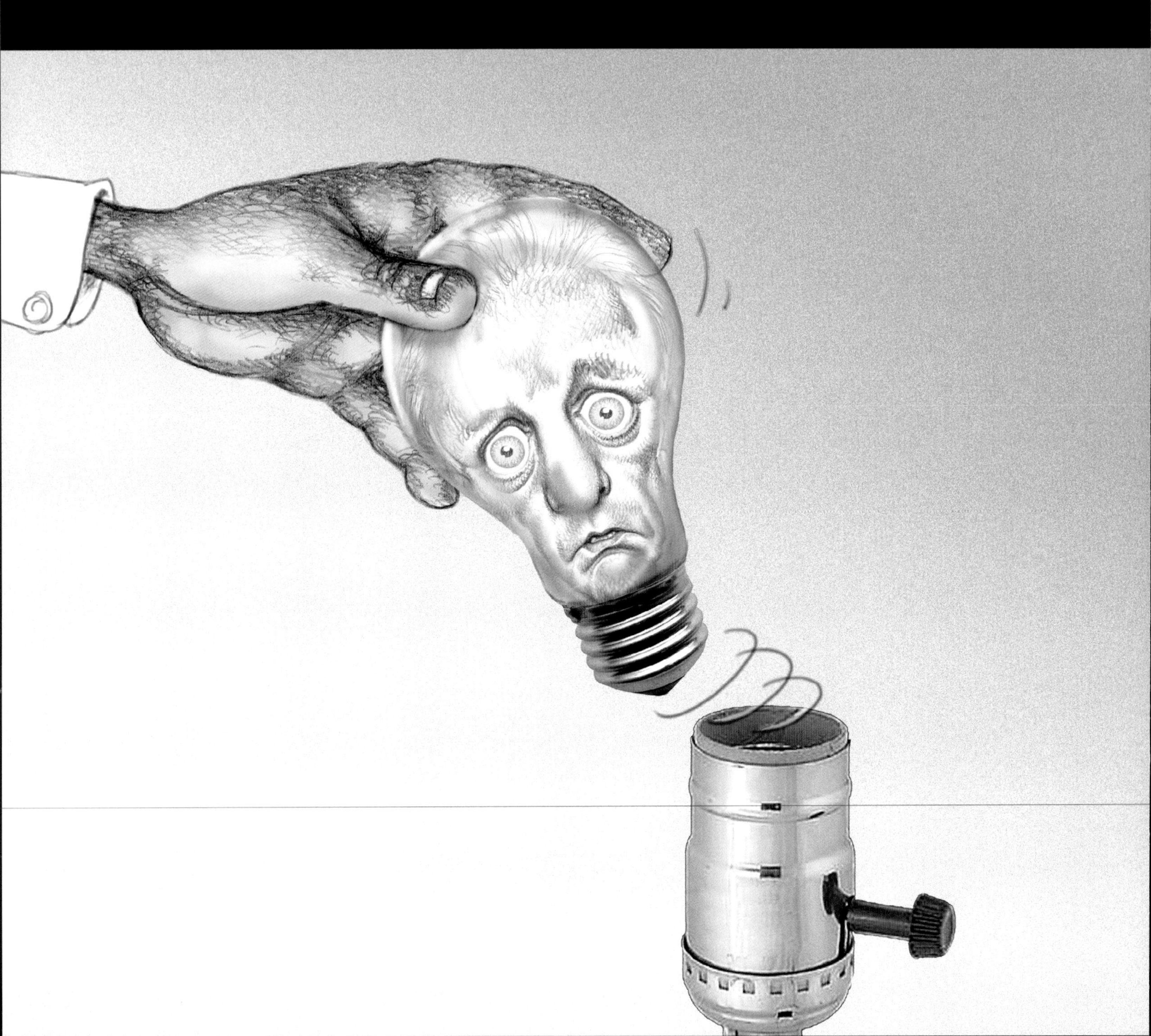

STÉPHANE BÉDARD QUITTE LA VIE POLITIQUE

En 2015, Jacques Parizeau nous a quittés. Son départ m'a donné l'occasion de parcourir mes archives personnelles à la recherche de caricatures dont il a fait l'objet. L'abondance de dessins m'a rapidement fait prendre conscience que si «Monsieur» a marqué l'histoire du Québec, il a aussi marqué mon parcours de caricaturiste. J'ai donc eu l'idée de vous offrir une rétrospective toute personnelle de sa carrière à travers quelques-unes de mes œuvres.

Album Parizeau

LE SPORTIF

J'ai toujours considéré la politique comme un sport extrême. Les deux demandent courage, réflexes, ainsi qu'une capacité certaine à faire des contorsions... et des acrobaties. Et je me souviens que monsieur Parizeau était véritablement à la hauteur de son « sport », comme en font d'ailleurs foi ces dessins.

COMMENT PILER SUR SON ORGUEIL

Lucien Bouchard et Jacques Parizeau font la paix.

LE PERSONNAGE

Jacques Parizeau ne laissait personne indifférent. Légende ou héros pour certains, vilain ou démon pour d'autres, on parlait souvent de lui comme d'un personnage plus grand que nature. À quelques reprises, il fut donc tentant pour moi de le comparer aux icônes et aux héros célèbres de la culture populaire.

Des alliés de Jacques Parizeau exigent un deuxième virage dans la stratégie du premier ministre.

L'INFATIGABLE

Même à la retraite, Jacques Parizeau ne s'est jamais gêné pour mettre son grain de sel dans les grands débats qui avaient cours au sein de son parti. Il en a même fait sa marque de commerce. Je me souviens que si ses sorties étaient appréciées par certains et redoutées par d'autres, dans mon cas, plus souvent qu'à leur tour, elles m'ont inspiré.

LA RÉSURRECTION
COUCOU ! C'EST MOI...
...PAS ENCORE !
JOYEUSES PÂQUES
PREMIER ANNIVERSAIRE DE L'ÉLECTION DE LUCIEN BOUCHARD
SURPRISE!!!
COMMENT DIRE... CE JEUNE DRAINVILLE EST DÉFINITIVEMENT OSTENTATOIRE !

UN HOMME ET SON PROJET

Jacques Parizeau a été et sera à jamais indissociable de son projet souverainiste. Une quête inachevée, où il aura vécu, bien entendu, son lot de hauts et son lot de bas. Une panoplie d'émotions et d'états d'âme que j'ai tenté à ma manière de saisir et d'exposer dans mes dessins.

Élections partielles dans Bonaventure : le Parti québécois l'emporte.

MENSURATIONS RÉFÉRENDAIRES
-60-
-40-

-40-
-60-

GRACIAS...
OBREGADO...
SPACIBA...
GRAZIE...
HARIGATO...
EUXARISTO...
DANKE SCHÖN...
THANK YOU ET
...MERCI!

12 SEPTEMBRE,
UN PREMIER PAS VERS LA SOUVERAINETÉ

*Fallait bien qu'un jour,
vous et moi, on se sépare...
Salut!*

FSC
www.fsc.org
MIXTE
Issu de sources responsables
FSC® C011825